# La chasse au Dragon

*Pour mes frères,*
*Serge et Philippe Nève*
A. N.

*Pour Valérie*
J.-L. E.

« *Soyons réalistes :*
*exigeons l'impossible !* »
Slogan de mai 68

ISBN 978-2-211-07330-1
Première édition dans la collection *lutin poche* : janvier 2004
© 1998, l'école des loisirs, Paris
Loi numéro 49 956 du 16 juillet 1949 sur les publications
destinées à la jeunesse : septembre 1998
Dépôt légal : avril 2007
Imprimé en France par Pollina à Luçon - n° L43112

# La chasse au Dragon

Texte d'Andréa Nève
Illustrations de Jean-Luc Englebert

Pastel
lutin poche de l'école des loisirs
11, rue de Sèvres, Paris 6ᵉ

Quand le soleil lui chatouilla le nez, la princesse se leva, réajusta sa couronne et descendit les cent treize marches qui séparaient sa chambre de la salle à manger.

Le prince, armé de la tête aux pieds,
se pavanait devant son fidèle écuyer.

« Je vois que mes chers frères sont de nouveau
prêts à partir en guerre… » soupira la princesse
en se servant un bol de lait.

« Contre qui, cette fois, livrerez-vous bataille ? »

« Aujourd'hui, nous chasserons le terrifiant,
le monstrueux et l'épouvantable dragon ! »
répondit le prince avec arrogance.

« Ça m'intéresse ! » s'écria la princesse.
« Je viens avec vous ! »
« Pas question ! » rétorqua le prince.
« Ceci n'est pas l'affaire des filles ! »

« Occupe-toi plutôt de ton bébé ! »
ajouta le fidèle écuyer en piquant de sa lance
une poupée oubliée sur le plancher.

Tout guillerets, les deux compères se mirent
en route en entonnant un chant sauvage :
« *Nous n'avons pas peur du dragon*
*et quand nous le dénicherons,*
*nous le couperons en rondelles*
*et le réduirons en bouillie;*
*nous dégusterons sa cervelle*
*avec deux ou trois pissenlits...* »

La princesse haussa les épaules
et monta en haut de la tour pour les épier.
« Quels idiots ! » se dit-elle. « Ils se dirigent
droit vers la forêt alors que tout le monde sait
que les dragons adorent se baigner en été… »

S'habillant en triple vitesse, elle courut jusqu'à la rivière.
Couché sur le dos, le dragon se séchait au soleil.
La princesse s'approcha sur la pointe des pieds :

« Dragon, je suis désolée de te déranger
mais tu cours un grand danger… »
Le dragon ouvrit des yeux étonnés :
« Pourquoi ? »
« Parce que le prince et son fidèle écuyer
veulent te manger ! »

« Me manger ? Quelle drôle d'idée ! »
dit le dragon.
Il se gratta la tête :
« Où pourrais-je bien me cacher ? »

« Viens chez moi, dragon !
Ils ne penseront jamais t'y trouver. »
La princesse prit le dragon par la main
et ils filèrent jusqu'au château.

Sitôt arrivés, ils engloutirent thé glacé
et gâteaux. Puis ils jouèrent aux cartes,
à chat perché et à saute-mouton.

Ils s'amusaient si bien ensemble
qu'en fin d'après-midi,
ils jurèrent de rester amis pour la vie.

Lorsque le jour déclina, le dragon se mit à bâiller :
« La vie de château est bien agréable
mais il est l'heure de rentrer me coucher… »

La princesse le supplia : « Je t'en prie, reste ici !
Je te ferai un petit lit douillet ! »

Le dragon s'était à peine assoupi que
des voix déchirèrent le silence de la nuit :
    « *Nous avons vaincu le dragon !*
    *Nous l'avons coupé en rondelles*
    *comme un succulent saucisson !*
    *Nous l'* … »
« Taisez-vous ! » les interrompit la princesse.
« Vous allez le réveiller ! »

« Qui ça ? » demandèrent de concert le prince
et son fidèle écuyer.
« Mon ami le dragon », répondit la princesse.
Les deux frères se regardèrent et éclatèrent de rire.
« Mais ma pauvre amie, les dragons, ça n'existe pas ! »
s'écria le prince.
« Il faut être bête comme une fille pour croire à ça ! »
ajouta le fidèle écuyer.
« Venez voir ! »
dit la princesse en leur faisant signe de monter.

Un doigt sur la bouche, elle entrouvrit sa porte.
Un rayon de lune caressait le dragon
qui ronflait dans des draps roses et parfumés…

« Et maintenant, après une journée si bien remplie,
je vous souhaite, mes chers frères, une bonne nuit ! »
dit la princesse en refermant la porte sans bruit.